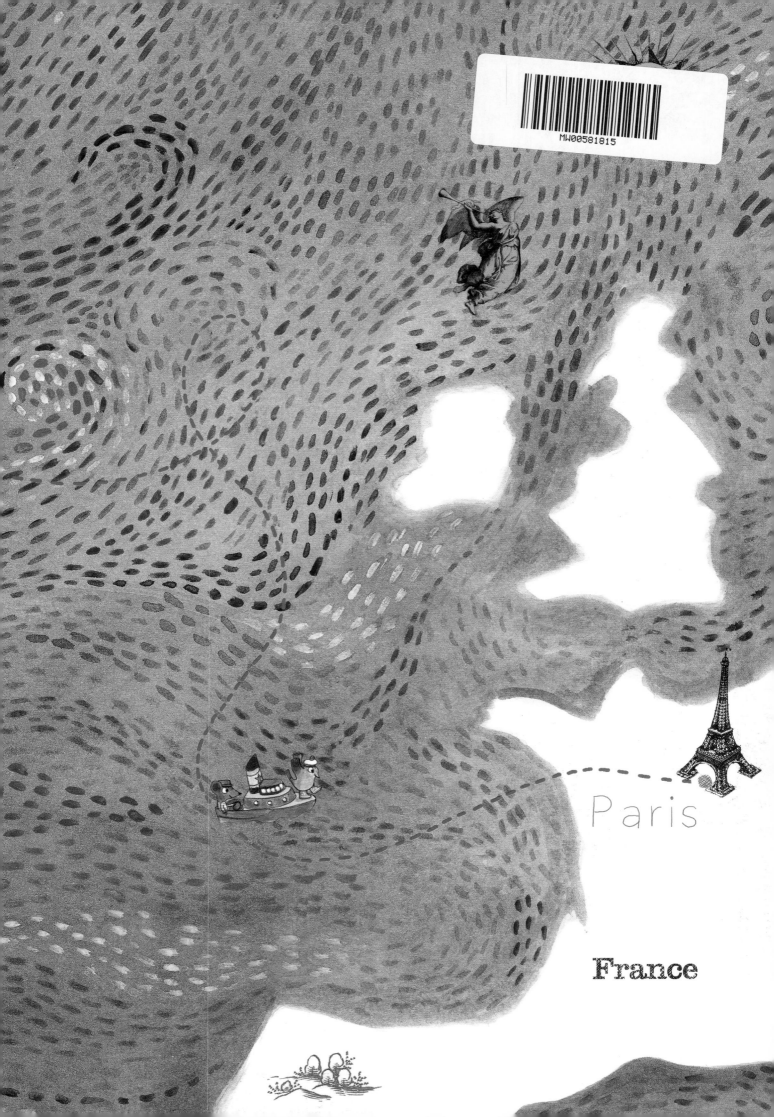

Paris

France

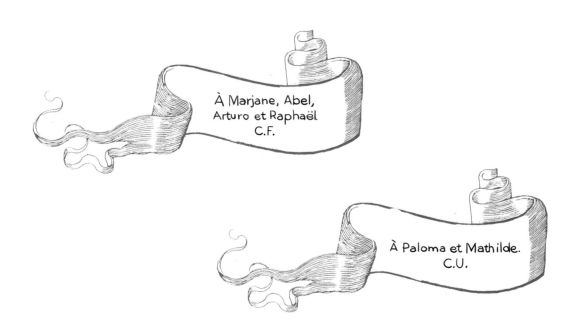

À Marjane, Abel,
Arturo et Raphaël.
C.F.

À Paloma et Mathilde.
C.U.

Emma
à Paris

Emma est une petite moinelle
qui vient de Central Park, à New York.
Elle a traversé l'océan Atlantique
pour découvrir Paris
et rencontrer sa cousine
française, Amélie Moineau.

Avec nos remerciements aux éditions A. Leconte et à la RATP
pour leurs aimables autorisations.

IMPRIM'VERT®

Originally published in 2013 in English as *Emma in Paris*
by Enchanted Lion Books, 351 Van Brunt Street, Brooklyn, NY 11231.
Text and Illustrations © 2013 by Claire Frossard.
Photos © 2013 by Christophe Urbain.

© 2014, Éditions Belin • 8, rue Férou 75278 Paris cedex 06, pour l'édition en langue française.
ISBN 978-2-7011-8379-4
Loi 49-956 du 16 juillet 1949 sur les publications destinées à la jeunesse.
Imprimé en France par SEPEC à Péronnas
N° d'imprimeur : 17932180781 – Dépôt légal : février 2014
N° d'édition : 70118379-05/août2018

Emma
à Paris

Texte et illustrations
Claire Frossard

Photographies
Christophe Urbain

Belin
Jeunesse

L'air est doux, c'est le printemps.
Emma Moineau vient d'arriver à Paris.
Sur les bords de Seine, elle déguste un délicieux croissant.
Dans sa poche, elle a une adresse : 125 rue des Abbesses, Montmartre
C'est celle de sa cousine Amélie.

Emma est très fière : elle sait dire
« bonjour », « merci » et « au revoir » en français.

— Bonjour ! lance-t-elle à une dame.
Puis en anglais, elle lui explique
qu'elle cherche la rue des Abbesses,
où vit sa cousine Amélie.

L'élégante dame lui sourit, puis secoue la tête.
— Désolée, je ne parle pas anglais.

Emma poursuit son chemin.
Elle arrive au pied de l'Arc de Triomphe.
Des rues partent dans tous les sens !
Quelle direction prendre ?
Emma s'approche d'un couple de corbeaux,
mais elle n'a pas le temps d'ouvrir le bec qu'ils lui répondent :
— Non, merci, nous ne sommes pas intéressés.

Non, merci.

Un peu plus loin, dans un charmant
passage du faubourg Saint-Martin,
Emma aperçoit un grand-père souris
assis sur un banc.
Elle prend son courage à deux mains
et lui montre son papier avec l'adresse.
— Ouh là, il faut de bons yeux pour lire
ça, je n'ai pas mes lunettes !
Que cherchez-vous, jeune fille ?
Emma essaie de lui expliquer, mais…
— Comment ? Parlez plus fort !

La pauvre Emma se retrouve de nouveau au bord de la Seine !
Elle s'arrête sur le stand d'un bouquiniste. Il lui reste un sou.
Juste de quoi s'acheter un dictionnaire français/anglais.
Emma s'assoit sur un muret pour potasser.

Emma se remet en route. Elle traverse le jardin du Palais-Royal.
« Comme c'est joli ici ! » se dit-elle.
Mais sur les pelouses, tout le monde est très occupé.

PELOUSE
INTERDITE

Emma soupire… Tiens, un billet !
Il vient de glisser du sac d'un chat blanc. Emma le ramasse
et hésite un instant : elle a faim, et plus un sou en poche !

Finalement, Emma rattrape vite le chat blanc pour lui rendre son argent.
— Merci Mademoiselle ! s'exclame-t-il. C'est très honnête de votre part.
Emma reste un peu sur ses gardes : un oiseau, ça se méfie des chats !

Mais celui-là a l'air tellement gentil qu'elle ose lui demander son chemin.
— Je vais vous aider, promet le chat blanc. Mais pour vous remercier,
j'aimerais vous inviter à grignoter un petit quelque chose.

Un croque-monsieur plus tard,
Édouard le Chat et Emma se comprennent
de mieux en mieux. Emma lui parle
de sa vie à New York et de sa traversée
jusqu'à Paris. Édouard l'écoute
avec des étoiles plein les yeux.
Il n'a jamais été plus loin
que le bois de Vincennes !

Édouard et Emma ne voient pas le temps passer.
C'est à la nuit tombée qu'Édouard accompagne
Emma jusqu'au métro Abbesses.
— À partir d'ici, ce n'est pas compliqué : tu prends
à droite, puis à gauche, et tu es chez ta cousine,
lui explique-t-il. Demain, c'est le 14 juillet.
On organise un bal au métro Chemin Vert.
Venez toutes les deux !
— Promis ! dit Emma.

Emma arrive enfin rue des Abbesses.
Elle toque à la porte de sa cousine,
qui apparaît aussitôt.
— Bonjour, je suis Emma, ta cousine américaine.
— Emma ! s'écrie Amélie.
Oncle Bob m'a dit que tu étais à Paris.
Je t'attendais avec impatience !

Les deux cousines ont plein de choses à se raconter !
Elles papotent pendant des heures.
Amélie parle un peu anglais
et Emma est tout heureuse d'essayer
ses quelques mots de français.
Elle donne à sa cousine
des nouvelles de sa famille
new-yorkaise. Puis Amélie
lui raconte sa vie à Paris,
ses débuts dans le cirque
de rue et ses voyages
à Rome, Londres ou Venise…
Emma est fascinée.
Que de merveilles
à découvrir !

Le lendemain, Amélie fait une représentation
de cracheuse de feu au jardin des Tuileries.
Elle propose à Emma de l'accompagner.

— J'ai besoin d'une partenaire, lui dit-elle. Si tu veux, je t'apprendrai
à jongler, marcher sur un fil, faire des mimes, cracher du feu !
— J'ai toujours rêvé de faire du cirque ! répond Emma en sautant de joie.
Allons fêter notre nouveau duo au bal de mon ami Édouard.

Emma est très excitée : c'est son premier bal !
Mais quand les deux moinelles arrivent à la station Chemin Vert,
elles sont un peu surprises : il n'y a que des chats ! Ouf, voilà Édouard !
— Ne vous inquiétez pas, vous êtes mes invitées ! les rassure-t-il.
Dansez et profitez !
En effet, les chats remarquent à peine Emma et Amélie : ils sont
plus intéressés par le buffet de croquettes !
Quelle belle fête ! Tout le monde danse jusqu'au petit matin.

Pendant des mois, Emma et Amélie s'entraînent.
L'été venu, elles sont prêtes à présenter
leur petit spectacle dans tout Paris !
Le lundi, elles jonglent place des Vosges.

Le mardi, elles dansent sur un fil sur le Pont-Neuf.

Le mercredi soir, elles font les clowns
près de la cathédrale Notre-Dame.

Le jeudi, c'est leur jour de congé.
Emma rejoint souvent Édouard pour manger une glace.
À présent, c'est elle qui commande !
— Bonjour, deux boules citron-cassis, s'il vous plaît !
demande-t-elle presque sans accent.

Le vendredi, Emma et Amélie font leur numéro de mimes dans le jardin des Tuileries. Puis elles profitent de leur temps libre pour écrire à leur famille.

Chers parents, chers oncle et tante, cher oncle Bob,
Nous sommes devenues les meilleurs amies du monde!
Nous avons monté un petit spectacle
qui commence à avoir du succès.
Nous vous envoyons une photo de nous deux
en cracheuses de feu.
On vous embrasse,
Emma et Amélie

Le samedi, c'est le jour de leur numéro préféré...
Avec d'autres amis acrobates,
elles font une pyramide devant la tour Eiffel !

Le dimanche, Emma, Amélie et Édouard
se retrouvent pour faire toutes sortes de choses.
Ils invitent des amis à déjeuner, vont se promener
au musée ou passent leur après-midi à lire,
manger des gâteaux et faire la sieste...
tout en rêvant à leurs prochains voyages.

Mais un dimanche bien spécial, Emma, Édouard et Amélie
se donnent rendez-vous sur le pont des Arts.
Comme d'autres amis l'ont fait avant eux, ils ont décidé
d'y accrocher un cadenas gravé à leurs trois noms.
Leur amitié est scellée pour toujours !

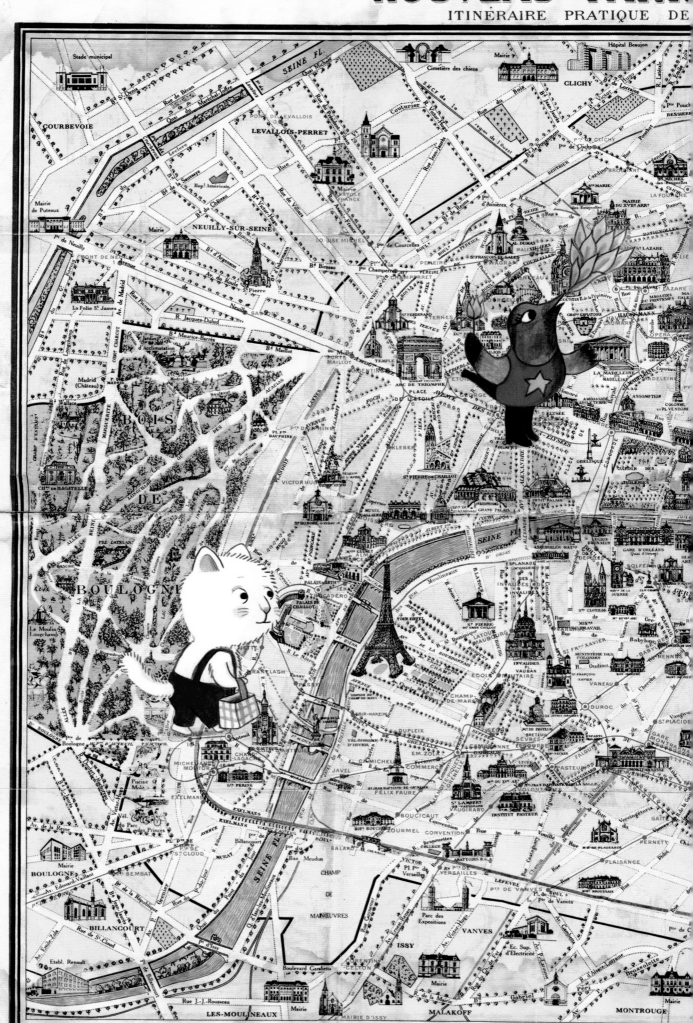

A. LECONTE, Editeur, 38

« LE PLAN MONUMENTAL » EDITIONS A. LECONTE.

de la Bretonnerie - Paris

Imp. Crété, Corbeil-Essonnes (S.-et-O.)

CORRESPONDᵗ STATION — Chemin de fer Métropolitain

Les aventures d'Emma

Emma à New York
Emma à Paris

Etats-Unis

New York